KB094593

아기 다람쥐가 다 잘해요

각색 **혹등고래** I 작화 **한소영** I 원작 **군청주단**

CONTENTS

Chapter 1

자, 인사하렴.
예의를 갖춰서
무릎을 굽혀야
한다.

고귀한
흰 뱀의 피를
이으신 분이니까.

......응?

바닥에
쓰러져 있었는데?

하아..

마침내
완전한 암흑이
찾아왔을 땐

다가오는 죽음을
예감하듯 시야가
좁아 들고

그대로 모든 것이
끝난 줄 알았는데…

이날은

리테르를 처음
만난 날이야.

그러고 보니
나도, 리테르도
모두 작아!

설마… 다시
돌아온 건가?

괜찮아요.

영애도
날 처음 만나
어색한가 보죠.

그 말을
믿었지.

내 꿈이
이루어지기 직전

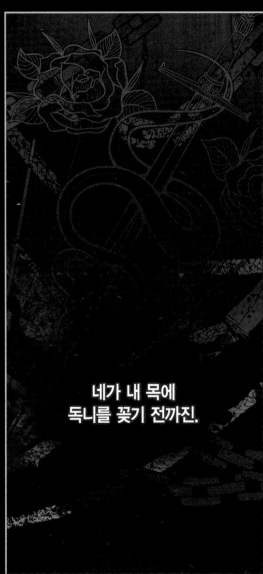

네가 내 목에
독니를 꽂기 전까진.

아주 어린 시절부터
나는 늘 혼자였다.

...그들은
모두 행복하게
살았답니다.

그런 나에게 친구는
오직 책뿐이었다.

그 아이를
만나기 전까지는.

또 게으르게
방 안에
박혀 있니?

벌컥

피리나 시우르스
(베아티의 이모)

일어나.
갈 데가 있다.

저랑요?

전하를
미래 남편이라 생각하고
성심으로 섬기렴.

좋은 아내가
되려면 종이 된
마음으로 남편 앞에선
자신을 낮춰야
한다.

언제나
사뿐사뿐
걷고.

두다다

몸가짐을
단정히 하며

갑히 목소리를
높이지 마라!

두다다

괴물을
만나러 가는
기분이야….

으…

뻣뻣하기 그지없던 네 엄마도 해낸 거니까

너도 할 수 있겠지.

자, 인사하렴.

무릎을 굽히고 예의를 갖춰야 한다.

고귀한 흰 뱀의 피를 이으신 분이니까.

하하 그렇게 딱딱하게 굴 필요 없어요.

리테르 둑스 아스트룸 (10세)

어? 이모가 말한 느낌과 달라.

안녕?

나는 아스트룸 왕국의 제2 왕자

리테르 아스트룸이야.

'싱눕'

성좌의 후손인
수안만이 가지고
태어나는

「별의 조각」

결혼을 약속한 왕자님이

좋은 친구가 되어 준 것과는 별개로

약혼 이후 베아티의 세상은 더욱 좁아졌다.

교육을 위해 네 방을 별채로 옮기마.

피리나가 말하는 교육은 진짜 수업 같은 게 아니었다.

그녀는 골칫덩이 조카에게 돈 한 푼 쓰지 않았고

'신부 수업'이라는 명목으로 베아티의 모든 생활을 통제했다.

편안한 옷

정신을 흐리는
오락은

맛을 탐하는
음식

모두 사치.

그래도 완전히 나빠진 않았다.

쓸모없는 옛날 책, 날짜가 지난 신문 뭉치로 읽을거리를 찾았고

성좌의 축복 덕에

다람쥐 모습으로 변해

따뜻해···

몰래 정원에 다녀올 수도 있고

24

나에겐 상인의 자질이 있는걸.

애독서의 저자가 한 말이 있다.

상인은 돈 안 되는 부끄러움 따윈 몰라야 한다.

그리고 이모도 그랬지.

넌 남에게 보이기 부끄러운 자식이라 버려진 거야!

이 부끄러움도 모르는 것!

그러니 내가 딱이네!

베아티는
상인의 꿈에
매료되었다.

좁은 곳에
갇혀 사는 게
아닌

아주 멀리 있는
새로운 세상에
나가고 싶었다.

책에서 본
새로운 대륙을
찾아가고 싶어.

왕비 자리를
버리고

상인 나부랭이가
되고 싶다고.

리…
리테르!

너도 이 결혼을
원하는 게 아니라고
했잖아.

어머니 말이라
어쩔 수 없이
들어줬다고…!

안절 부절

29

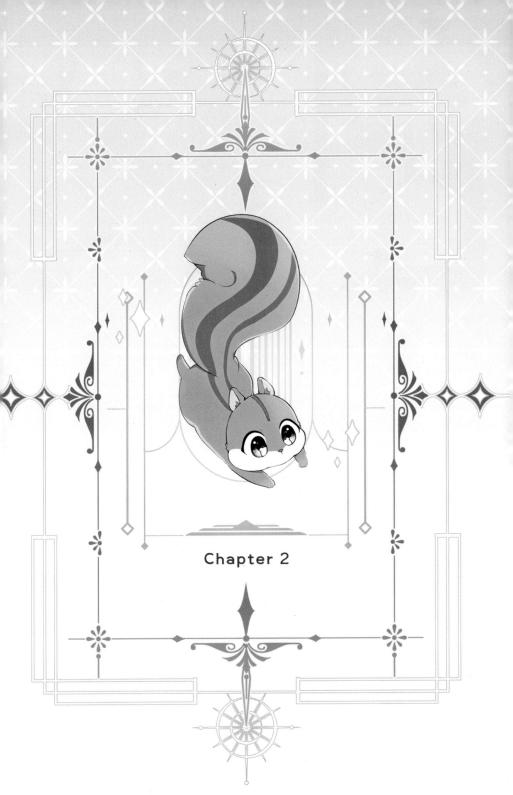

Chapter 2

베아티는 상인의 꿈을
이루기 위해 저택을
벗어나는 계획을 세웠다.

베아티,
나는 네가 정말로
꿈을 이뤘으면
좋겠어.

상인이 되기
위해 이 저택을
나가야 한다면 나도
도와줄게.

…나를
도와준다고?

그래,
널 도와주고
싶어.

그러니
그때까지 조금만
기다려 줘.

공주님.

깜빡
깜빡

…공주 아니고
공녀인데.

그래,
공녀님.

조금 늦은
왕자에게 기회를
주겠어?

베아티는
다정하게 손을 내미는
리테르에게도

계획을
공유하게 되었다.

여비는 어디에
모아 뒀는지

저택 경비는 어떻게
피해 나갈지

나가서는
어느 상단에
지원할 것인지

그리고

계획을 언제
거행할 것인지까지.

언제
나갈 거야?

음….

싱눈을 숨기려면
성인이 되어야
하니까

내 성인식에
나갈 거야.

베아티.

응?

베아티 (18세)
-성인식 하루 전-

자,
마지막이잖아.

저벅

저벅

내 목을…

물었어?

쿨럭

쿨럭

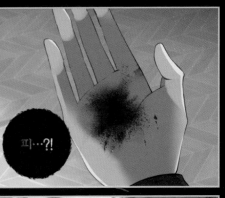

피…?!

위성

…어?

털썩

리테르가
왜 나를…

아직
안 끝났나요?

이 목소린…

이모가 왜 여기에…?

분명 오늘 저택을
비운다 했는데…

왜 두 사람이
함께…?

난
네 편이야.

쿠

웅

멀리

아주
멀리까지

이렇게 허망하게
죽을 줄이야···.
나는 단지

자,

우리 다시
인사할까?

가 보고
싶었을 뿐인데….

아스트룸 왕국의
제2 왕자

리테르
아스트룸이야.

이걸 잊을 뻔했네.

가장 귀한 건데 말이야.

배신자···.

영애?

짜악

헉

꺄아아악!

왕자 전하!

너

너

이게 무슨 짓이야!

그래.

왕자님, 괜찮으세요?

저걸로 날 콱 물었지.

퍼엉

아, 아니?

분명 팔을 붙잡고 있었는데? 사라졌어?

저기!

위에, 위에 있다!

탓

타앗

탓

토다다닥!

!

한때 얽매였던 것을
모두 뒤로한 채

파
바
밧

베아티는
한 번도 고개를
돌리지 않고

달렸다.

북부!

북부
아슬란!

아슬란 영지로
갈 사람은 빨리
올라타쇼!

후유...
겨우
벗어났네.

추욱

곧
출발합니다!

덜컹

다그닥

다그닥

다그닥

다그닥

다그닥

내가…

어릴 적부터
자란 곳,

그리고

한 번의 죽음을
맞았던 곳.

…죽을 때
목이, 너무
아팠어.

저기서
벗어나면,

그것만으로
행복할 줄
알았는데…

…기분이 조금
이상하네.

따끔

따끔

다그닥

다그닥

멀어져 간다.

지난 시간의 전부를
보냈던 곳.

친구라고 생각했던
사람이 있던 곳.

안녕.

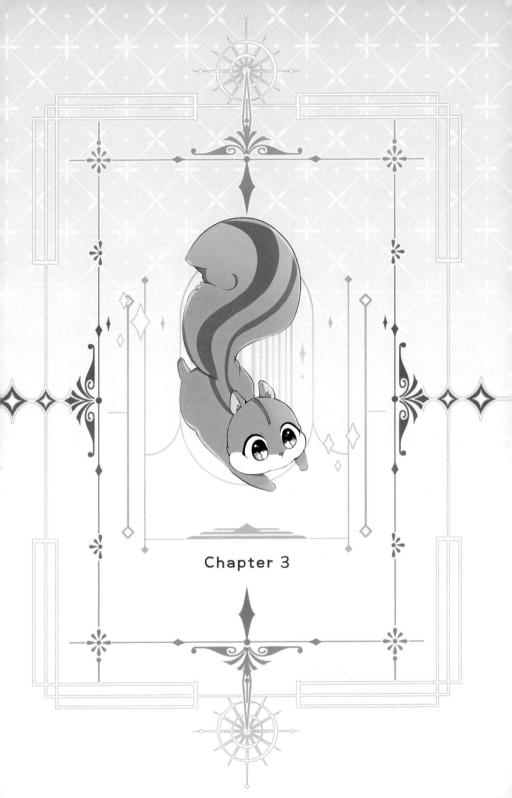

Chapter 3

반드시 수습해
놓을 테니

마마껜
부디…!

좋습니다.

필요하면 왕실
수정구의 사용
허가를 내주죠.

공작가엔 괜한
말이 들어가지 않도록
가출한 것으로
전해

이쪽으로 꽂힐
의심의 화살을 막아
두겠습니다…!

휘
이
이
잉

여기가…
북부 아슬란
영지.

달달달

마차에서
얻은 정보로
무작정 왔지만

어떻게든
도착했어!

아슬란 행
마차를 타서
다행이야

아니지! 지금의 난 8살이니까 아직 1왕자도 살아 있을 때잖아?!

근데… 1왕자와 만날 길이 없네.

어릴 적부터 전장이나 외국을 전전했다는데, 어떻게 찾아서 전해.

당장 내가 있을 곳도 없는데…

1왕자 찾기는 무슨…

게다가 수인의 싱늅은 고가품이라 노리는 자가 많아.

어린 몸으로는 변신 능력이 서툴러 위험한데 어떻게 살아가지….

여보게, 이것 보게나!

뭔데 그래?

십 년 전,

모두가 기나긴
전쟁이 끝날 것이라
기대했었지만,

예상치 못한
후퇴의 시작점이 되는
사건이 발생한다.

승전만을 거듭하던
황금 사자 공의

'최초의 후퇴'라
기록될 일이.

이 일의 해결책은 십 년 뒤에나 제시됐지.

그러니 10년의 미래 지식을 가진 나라면 해결할 수 있어!

황금 사자 공, 레온하르트 엘데 아슬란

내가 직계 공녀임에도 가보지 못한 가문의 주인이자,

한 번도 불러 본 적 없는 '아버지'

아버지는 내가 클 때까지 한 번도 보러 오지 않았고

수없이 보낸 편지엔 답장도 없었다.

유일하게 돌아온 반응은

성인식 전 한 번이라도 공작성을 방문해도 되냐는 편지가

찢겨 온 것뿐.

이렇게
버려진 자식이나
다름없는 나지만

거부할 수 없는
거래를 제안해서

성인이 될 때까지
저택에 머물게 해달라고
하는 거야.

성인식만
치르고 나면 꿈꾸던
상단에 들어가고.

아니, 어쩌면
상단을 세울 수
있을 지도 몰라!

좋아. 이 거래
꼭 성공시키겠어!

휘이이

근데…
성에는 어떻게
들어가지?

툴쩍

응?

저기 성문 앞에
저 점은 뭐지?

?

뭐 말이야?

어디 보자….

슥

…아닛!

저 모습은
설마…?!!

흠…

아가씨! 가시면
안 됩니다!

아슬란
공녀님!

···어?

날...
부르는 거야?

수행원도 없이 홀로 다니시다니요!

아가씨 같은 분이 혼자 다니셔선 절대 안 됩니다!

쮸 쮸쮸웃? (=절 어떻게 아세요?)

죄송합니다.

다람쥐 언어는 잘 몰라서 무슨 말씀이신지 모르겠네요.

일단 안으로 모시겠습니다.

토실토실하던 예쁜 빰이 홀쭉해지시다니⋯.

...당연히 환영받지 못할 거라 생각했는데

여기 사람들은 왜 이렇게 잘해 주지?

맛있는 음식에 예쁜 옷까지⋯.

꿀꺽

꿀꺽

햇! 아냐!

정신 차려!

또리

또리

이유 없는 호의는 세상에 없어.

누군가의 호의가 순수한 마음으로 보인다면

그건 이유를 숨기고 있을 뿐이야.

그러니까…

좋은 제안이 있어
가주님과 이야기를
하고 싶으시다고요?

끄덕

주인님은
지금 나쁜 놈들을
혼내 주러 멀리
나가셨답니다.

어쩜…
아버지 얼굴이
얼마나 보고
싶으셨으면…

많이 외로우셨구나···

주인님께서
많은 편지와 용돈을
보내시긴 했지만…
그런 물질적인 것만으로
부족하겠지.

아가씨…!

72

음...
그거라면

주인님께서
외부에 계실 때
시급한 일을 처리하는
가주 대행님이

?!!!

깜

짝

카를리투스
엘 아슬란
(15세)

저 사람은…!

가출
다람쥐.

…안녕.

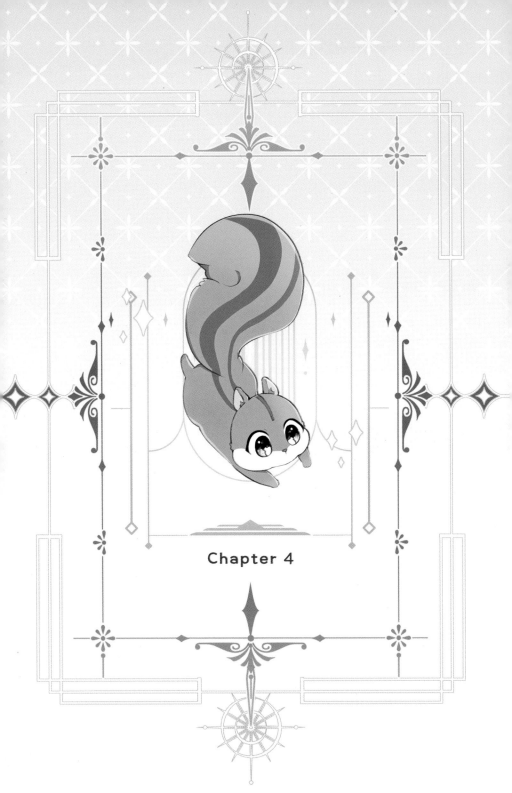

Chapter 4

가출…

다람쥐…?

그렇게 말하니 내가 단순히 말썽을 부린 것 같지만

나는 살기 위해 도망친 거라고…!

도련님! 아가씨는 지금 몹시 섬세한 나이라고요!

도피라던가

이대로는 안 돼요!

피 닦고 가실게요!

탈출… 같은?

쓱 쓱

쓱쓱

공작성에
온 적은 없지만

이제
됐습니다.

...

초상화로 본 적이
있어서 알아.

저 얼굴은…

카를리투스 엘 아슬란

열 살 때부터
전장을 제집처럼
돌아다녔다는
천재 검사.

이 사람이….

끌격

내…
오라버니.

동생이라….

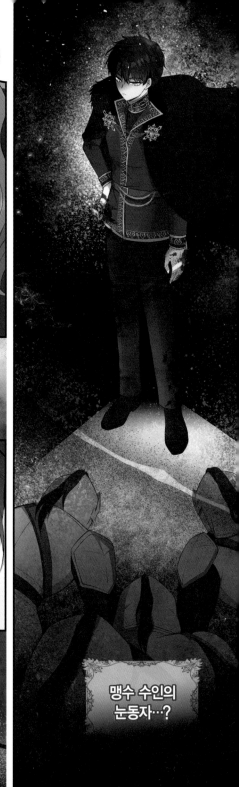

근데…
듣던 거랑은
달라.

짓눌린다거나
그런 게 아니라

아늑하고
따뜻해.

마치

비어 있던 그릇이
채워지는 듯한…

너!

아찻!

깜짝

지긋

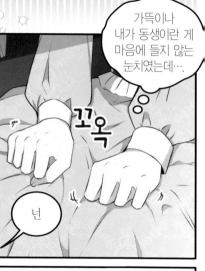

가뜩이나
내가 동생이란 게
마음에 들지 않는
눈치였는데….

꼬옥

넌

내가
안 무서워?

네?

덥석

데~롱

씨익

됐다.

이제야 제대로 된 냄새가 나네.

전생을 통틀어 이런 적은 처음인데… 이럴 땐 어떻게 해야 하지?

쩌적 응

죽었나?

왜 안 움직이지.

도련님!!! 어린 아가씨 앞에서 무슨 소리예요!

거

거리를
둬야 해…

심장이
남아나질
않겠어…

아,
아가씨…!
괜찮으세요?!

달 달 달

왜 저런 거지?
날 싫어하는 게
아니었나…?

도련님!
아가씨는 아직
어리시니 다치지 않게
조심히 대하셔야
합니다!

검도
안 뽑았는데
다치면 오래
못 살지 않아?

검?!
검을 뽑아??

처음 만났는데
검을 뽑을지
말지를 생각한단
말이야?

아무튼 이게,

'이게'라니요!

여동생을 그렇게 부르시면 안 됩니다!

그럼 뭐라 불러?

이 가차… 흠, 다람쥐는.

이름이 없잖아.

이름…

이번 달엔 네가 그 '반쪽짜리' 담당이야?

한몫 챙기겠네.

보석 리본은 내가 먼저 눈독 들인 거니 건드리지 마!

10살까지 이름이 없었던 나는

항상 「반쪽짜리」 라고 불렸다.

저... 그런데

왜 여기 아가씨를 '반쪽짜리'라고 부르는 거예요?

귀족한테 그랬다가는 큰일 나는 거 아니에요?

큰일은 무슨!

자작님이 친조카라는 그 반쪽짜리를 대하는 걸 봐!

이 정도로 우리가 혼나겠어?

맞아. 그리고 정말 반쪽짜리잖아.

그 검은 눈 봤어?

어휴~

검은 눈.

용 수인의 용안

뱀 수인의 사안

사자 수인의 맹수안

왕국에 알려진
수인들의 눈은 모두
금빛을 띠었다.

수인의 피가
짙으면 짙을수록

더욱 진한
황금빛을 띤다는
황금안

특히 내 가문
아슬란의 수인들은
모두 황금안으로
유명했다.

그건 반쪽짜리
라니까.

까르르, 맞아.
흑안이잖아~

유일하게 흑안인
나만 빼고….

아니야…!
그건 회귀 전의
나야!

난 이름이
없지도 않고

반쪽짜리도
아니야!

도리

도리

내겐
이름이 있어!

회귀 전,
열 살 무렵.

아버지가 처음이자
마지막으로 보낸 서신에
동봉됐던 이름.

아마 대충
생각나는 대로 적어
보낸 것일 뿐이겠지만.

그래도 내 손에
들어온 이상
내 건…

내가
지킬 거야.

꼬옥

있어요,
이름!

벌떡!

!

Chapter 5

베아티!

그게 제 이름이에요.

…뭐?

아버지가 나에게 관심이 없다는 걸 증명이라도 하듯

내가 10살이나 되던 해에 던져주듯 받은 이름이지만

나 자신이 그 이름을 소중히 여기면

그걸로 가치 있는 거야.

어머?!
'베아티'뜻은
그거잖아요!

「축복」

속을 도저히
알 수 없는
표정…

건방지다…고
생각하는 걸까?

좋은
이름이군요,
베아티 아가씨.

직접
지으신 건가요?
총명하시군요!

아가씨.
아까 도련님이
오시기 전에 주인님을
찾으셨죠?

아…!
네! 맞아요!

'최초의 후퇴'가
일어나기 전에
한시라도 빨리…!

지금 주인님은
자리를 비우신
상태라

대신
공작가 일을
처리해 주고 계시는
가주 대행님을
불러오겠습니다.

그럼 그동안 두 분은

즐겁게 이야기 나누고 계세요.

타
악

단둘이요-?!

쿵
쿵

그나저나…

아가씨께서 벌써 이름을 정하셨을 줄이야…

꾸벅

안녕하세요! 집사장님.

아이의 운명에
맞지 않는 이름은
아이를 비틀리게 한다.

아이 성격이
비뚤게
자란다거나,

직접적으로
몸이 비틀리는
사고가 난다는 등

아이에게 맞지 않는
이름은 그런 불길한
일을 불러온다는

북부만의 독특한
풍속으로 인해
이곳 북부에선

보통
아이의 성향을

한두 해
관찰한 뒤

아이에게
가장 걸맞는 이름을
지어 주는 일이 많았다.

특히

듬뿍 사랑받는
아이일수록,

아이의 이름을
고민하는 기간이
길어지곤 했다.

그래도⋯
아가씨가 8살이
넘도록 이름을
못 정한 건 많이
심하셨지.

아가씨가 벌써
몇 살인데,

이름 대신
언제까지고
지금처럼 '아가'라고
부르실 거냐
말이야.

내 머리랑
다르게 푹신푹신해
보이고

작아.

정말 내
꼬리털 뭉치보다도
작을 것 같은걸.

그러고 보니 성에
처음 도착했을 때는

다람쥐 모습이었다고 했지.

나만 못 본
모습….

......

성큼

!

스윽

너

지금 당장

다람쥐로 변해 봐.

역시 괴롭히려고?!

부

으하햣

웅

쥬우웃!

......넹?

???

왜 갑자기 다람쥐 모습으로 바꾸라는 거지?

으음......

아-!

도대체 저 조그만 머리로 뭘 생각하는 거지?

공

도망가지도 않고 말이야.

어렸을 적부터 차연히 배어 나오는 맹수의 위압감에

모든 작은 생명체들은

나를 피해 도망가기 일쑤였다.

와~
눈토끼다!

귀엽다~!

신기하고…

파밧

파바밧

그때

난 그저

쫑긋한 귀가
신기해서 잡아보고
싶었을 뿐이었는데…

앗!

너무 티나게
경계했나?

추욱

시무룩..

…그리고 보니
편지를 무시하고
찢던 아버지와
달리,

오라버니와는
회귀 전엔 아예
교류가 없었지.

굳이 미리부터
선을 그을 필요가
있을까?

꼼지락

꼼지락

쏙

빠밤

귀여워…!

응

......
나랑...

봐.

닮았어.

귀가
둥글잖아.
닮았지?

쮸?!

예?!

대체 저 귀여운
다람쥐 아가씨의
뭘 보고

도련님과
닮았다는
흉악한 말을
하시는지…?!

그렇게 치면 제 귀도 둥그-

못생긴 귀로 어딜 끼어들어!

못생겼다뇨! 도련님! 말이 심하신 거 아닙니까?

사실이잖아.

크기부터 엄청 다른데….

쮸훗.

배시시

쮸쮸 꾸우훗

울음소리가 어흥이 아니라 쮸쮸…?

스윽

자.
이거 먹어.

…이걸
먹어야 해.
말아야 해.

…주는 사람
성의가 있으니까
넘어가 줄까….

뿔 뿔 뿔

토옥

...!

몽글

어?
몽글

Chapter 6

좋아.
딱 적당하네.

씨앗은
항상 맛있어.

몽글

몽글

뇸

뇸

뇸

이게 무슨
느낌이지…?

벌컥

아가씨!

베아티
아가씨!

주인님께서
부르십니다…!

주인님?

주인님이면…

아버지를
말하는 거잖아!

아버지는 지금
성에 없다더니
날 부른다고?

만나려고는
했지만
아직 준비되지
않았는데…!

설마……!!

당장 쫓아내려고 그러나?!

쮸주 쮸즛?
(=나를 왜요?)

어머!

사이좋게 계셨군요.

남매간의 다정한 시간을 방해해서 죄송하지만…

아버님과 대화 나누려면 인간화를 하셔야겠죠?

옆 방에서 다시 옷 입혀 드리겠습니다.

가시죠, 아가씨.

치ㅡ긋

몽글

몽글

다람쥐 아가씨 너무 귀엽지 않습니까?

저도 제 손 위에 아가씨가 올라오셨을 때 정말 감격스러워―

뭐?!

네가 왜 걔를 손에 올려?!

어······ 그야···

연약하신 아가씨가 힘들게

긴 거리를 걷게 할 수 없으니까요?

125

내놔!

예? 무엇을···?

네 손바닥.

껍질을 벗겨 주지.

그게 무슨 실날한 농담이세요?!

농담 아닌데.

어떻게 제게 그러실 수 있어요~!

진짜 벗긴 것도 아닌데 엄살은.

···보통 약한 것들은 날 보면 겁먹고 도망가던데.

저 애는···.

127

저벅

저벅

원래 주인님이 업무를 보시는 집무실이랍니다.

여기가…

여기에 아버지가…

꿀꺽

똑

똑

들어가겠습니다.

공작 각하의 업무 대행을 맡은 젤롯 백작입니다.

대 아슬란가의 공녀님을 뵈어 영광입니다.

꾸벅

아… 전 베아티라고 합니다.

가주님이 부르셨다고 들었는데요.

가주님?

아, 예. 공작 각하께서 아가씨가 도착하면 바로 연락하라고 말씀하셨죠.

이 통신구로

전장에 나가 계신 각하와 이야기를 나눌 수 있습니다.

하아… 짜증나네.

뭘 쳐다보니?

더러운 반쪽짜리가~!

울 렁

울 렁

조금만 기다려 주세요, 공녀님.

전쟁만 끝나면 분명 각하께선,

흐응.

탁

젤롯 백작.

안 본 새
쓸데없는 말이
많아졌네?

죄,
죄송합니다.

제 걱정이
주제넘었나
봅니다.

심기에
거슬리셨다면
부디 용서를···.

어?

…어째서.

!!

수도에 있지 않고 북부로 온 거지?

…머릿속에서 목소리가 전해져.

아버지는… 이런 목소리였구나.

어딘가 사람을 끌어당기는 힘이 느껴지는 목소리….

…들리지 않나?

어, 그게…!

…수도에서 무슨 일이 있었나?

수도에서요?

……

………!!!

그러고
보니……

짜

악

수도에서
리테르 뺨을 때리고
왔지—!!

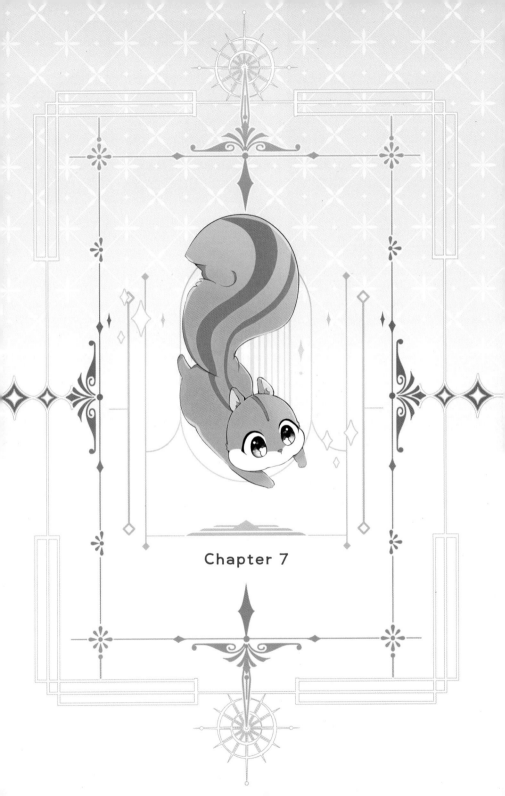

Chapter 7

어떡하지…?

내 입장에선
배신자의 면상을
친 거지만

이걸
도대체 어떻게
설명하지….

-정말

무슨 일이
있었나?

아버지 눈엔 그저

왕족을 폭행한
가문의 수치일 거야.

레온하르트 엘데 아슬란
(아슬란가의 가주)

미리 듣고 추궁하는 건지 아니면 정말 몰라서 묻는 건지는 모르지만…

거짓말을 할 순 없어…!

꿀꺽

…맞아요.

제가 리테르 제2 왕자 전하의 얼굴을 때렸어요.

음?

응?

제2 왕자의 얼굴을?!

앗···! 아직 여기까진 전달이 안 됐나 보네···.

괜히 말했나···?

베아티는 이모가 자신과 제2 왕자의 혼약을 추진한 것,

이번엔 왕자를 처음 만나 소개를 받은 일을

아버지에게 설명했다.

···그래서

전하의 뺨에 손을 날렸어요.

회귀 전 이야기를
할 수 없으니

날 그저 문제아로
생각하시겠지…

흠….

움찔

시큰둥

그랬나.

시큰둥

그랬어?

……?

공작가에 무슨
문젯거리를 가져온
거냐고 화낼 줄
알았는데…?

잘했어.

결혼은
무슨.

웃기지도
않는 소리를
하고 있어.

내 귀에 들리지도
않은 혼담을 멋대로
진행시키다니.

탁

내가 아주
우습게 보인
모양이군.

먼저
선을 넘은 건
왕실이니,

거리껴 할
필요 없다.

딱히 그게
거리껴서 도망친 건
아닌데….

이 전투가
끝나는 대로 왕실에
거부 서한을 보내지.

그러니 넌
이만 돌아가라.

네……?

여긴
전장이다.

아,
알아요!

산맥만 넘으면 연일
전투가 벌어지고

전쟁이
길게 이어지고
있으니

거기에 대해
생각한 게 있어서
말씀드리려고−

−그만.

그에 대해
네가 생각할
필요는 없다.

왕국 군의 병참
기능까지 담당해

여긴 네가
있을 곳이 아니야.

전장이나
다름없는 곳이 바로
여기 북부인걸.

전쟁을 우습게 봐서
생각 없이 내려온 건
아니라고…!

그런 건…

충분히 알고 있어.

알고는 있었지만…

울먹

추욱

뭐야?

무슨 소릴 들었길래

무의식적으로 꼬리까지 나온 거야?

휙

애한테 뭐라고 한 거예요?

당장 돌아가라고 했다.

수도로?

그래.

146

북부에선
몸이······.

흐음···.

시무룩

넌 가기
싫은 거야?

···네, 넷!

지금···

내 의견을
물어 봐준 거
맞지?

이런 건
처음인데···

그렇다는데요?

그것과는
상관없다.

아~ 정말.

싫다는 애한테 왜요!

오라버니가 내 편을 들어줬어…?!

아버지.

얘 지금 어떤 모습인지 못 봤죠?

수인화 한 것도 봤는데 덩치가 무슨 내 꼬리털만도 못해.

인간 모습은 뭐, 팔다리를 톡 치면 부러질 정도?

완전 비실비실해!

도와주는 거 맞지…?

휙

휙

아, 그리고 오는 동안 굶었는지 얼굴에 살이 하나도 없던데.

그래도….

이대로 돌려보내면

수도로 가는 길에 쓰러지겠는데요?

풀

썩

......

조용—

...당분간.

내가
돌아가기 전까지만,
거기 있도록.

됐다!!!

저기…!

쭉

고…

고마워요!

……

살랑

살랑

…고마워?

네!

꼬덕

그럼

꼬리 만지게
해 줘.

당

당

바로 이렇게
대가를
요구하다니…!

끄응

…그래도

고마운 건
진짜니까.

휙

뾰옹

스옹

으응

잘못 힘줘서
꼬리를 똑 떼버리진
않겠지…?!

부드러워.
푹신하고….

응

살살

살살

크ㅡ…

큰일입니다!!

뾰

컥

무슨
일인데?

153

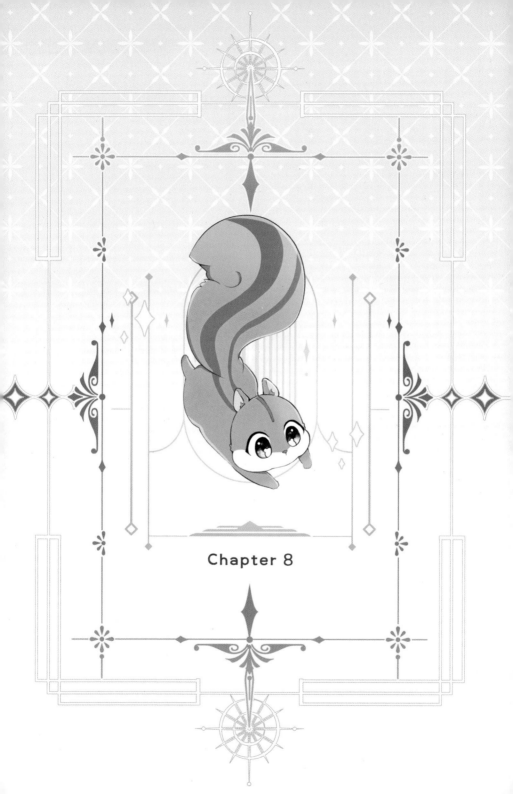

Chapter 8

'최초의 후퇴'
따윈 없도록, 내가
바꾸는 거야!

그렇게 입은 피해 때문에
아슬란 공작가는
군사 규모가 크게 줄고
영지 인구까지 줄어드는
괴멸적 피해를 보게 된다.

이번엔
그렇게 되는 일은
막아야 해…!

'저걸'
이용해서…!

타다다다

투욱

퍼엉

이놈이
방화범입니까?!

시, 시체?!
죽이신 겁니까?

아니.
잡히니까 바로
자결하더군.

이상해.

너무 쉽게
잡혔어.

이
나쁜 놈!

정보를 토해내게
하기도 전에
죽어버리다니!

신성 제국의
표식이다.

그야…,
도련님이 워낙
빠르시니까
그런 거죠.

아니,
손등을 봐.

정말입니다!

그럼…
제국 놈들이…?

글쎄.

스스로 범인이라고 티라도 내듯

창고에서 얼마 떨어지지 않은 곳에서 고개를 내밀고 있던 놈이다.

자기 범행을 끝까지 지켜보려던 거 아니겠습니까?

도련님의 눈에 띄자마자 바로 도망갔잖아요.

도망가는 시늉이지.

눈에 띄게 얼쩡거리다 달아난 방화범 용의자.

보란 듯이 신성 제국의 표식을 새긴 시체.

모든 게 부자연스러워.

골치 아프군.

공자님!

그 많은 양의 식량을 어느 상단에서 바로 댈 수 있겠습니까?

그리고 상단을 찾는 동안 굶을 우리 병사들은요!

웅성

웅성

저벅

저벅

자자—

보급 행렬을 보내야 할 일자가 당장 내일인데 어쩌죠?

상단이라도 빨리 수배해 볼까요?

다들 진정하시죠.

지금 그 대책을 마련하려고 고민하는 거 아닙니까.

괜히 우리끼리 날 세울 필요는 없어요.

그리고 공자님.

먼저 죄를 고합니다.

죄?

송구합니다.

나무랄 데 없이
깔끔한 사죄….

하지만…
어딘가 여유로운
기색을 풍기는 것이
거슬려.

이쪽에서 고개를
들라고 하셔도
될 텐데…?

저…
공자님?

물론 많이
화가 나시겠지만,
너무 탓하지
마시고….

저!

저기요!

응? 여기
웬 아기가….

앗!
그 돌아오셨다는
아가씨이신가요?

응?
꼬리털?

그렇게
부르지 말…

꾸악!

왜
벗고 있대?!

부담스러워!?

공녀님, 같이
걱정해 주시려고
오셨나요?

다정하시기도
하시지!

왜 옷을
안 입는 거지?

아, 네!
지금 식량 때문에
고민이시죠?

제게 그 해결
방법이 있어요!

해결
방법이요?

네!

바로 이거예요!

이건… '마계초'네요.

지옥에서 재배할 법한 무시무시한 독초로 도대체 무얼…

깔깔깔

이건 그거잖아. 뭐였더라?

'악마의 씨앗' 이라고 불리는….

휙

투베로숨.

독초면서 쓸데없이
번식력이 강해

안 좋은 별명들은
다 붙어 있는
식물이다.

하지만

사실 이건
그런 나쁜 별명들이
붙을 게 아니에요!

위험하니
다시 주세요!

오히려 이번
식량 문제를
해결해 줄─

'기적의 식물'
이라구요!

큼!

죄송합니다만, 아가씨.

그게…

해결 방법 이라고요?

도우려는 마음가짐은 아름다우시지만…

지금 소꿉장난을 같이해 드릴 수 있는 상황이 아니어서요.

지루하시다면 놀이 하녀를 불러 드리겠습니다.

꿈틀

…저 자식이?

…백작님.

백작님은

투베로숨의
장점을
아시나요?

……예?

하나.
투베로숨은
어디서든
잘 자란다.

둘은
이거예요!

뿌리에 달린
열매는 주먹보다도
크게 자라요!

어느
정도냐면…

으음~

아!

싱긋

아니에요. 백작님 말이 맞아요.

그래요, 공녀님.

자신의 잘못을 받아들이는 건 결코 부끄러운 일이…

그러니까

끄덕

끄덕

독이 있다는 부분만요.

다른 건 틀렸어요.

꿈틀

예?

제 말의 어디가 잘못 되었다는 거죠?

투베로숨은 먹으면 반드시 배앓이를 하게 되는 독물입니다.

수군

수군

저번에도 사냥꾼 조카도 뭣 모르고 주워 먹다가 큰일 날 뻔했잖아.

그건 그렇지…

심한 경우엔 목숨까지 뺏길 수 있고

배탈이 안 나면 되는 거죠?

와구 와구 와구

?!!!

하압

꿀꺽

공... 공녀님!

아무나 어서 의사를 불러와-!!

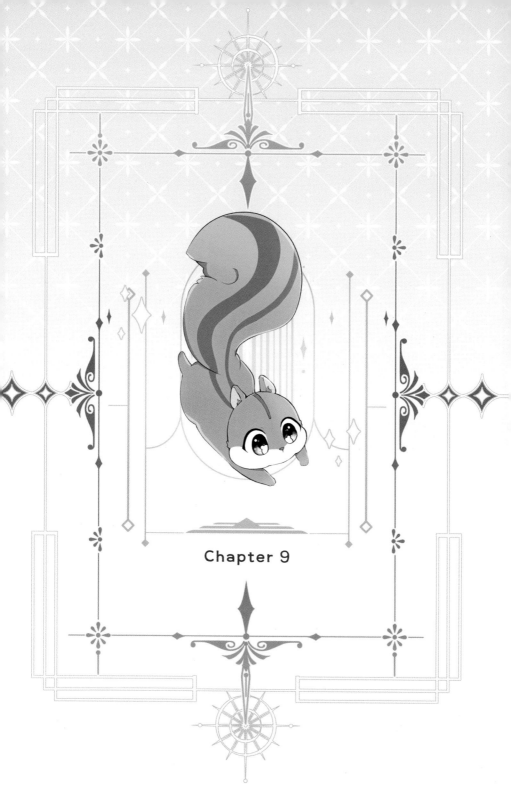

Chapter 9

아가씨께서는…

……

어떠한
중독 증상도
보이지 않습니다.

헤헤

전혀?

예.
전혀요.

확실해?

예… 예!

믿어
주십시오!

보통 독초를 삼키면 아주 미량이라도

혀에 중독 증상이 남아 있기 마련입니다.

그런데 아가씨껜 그런 흔적조차도 없어요.

네ー

보셨죠?

팔짝

짜

안

'투베로숨'은 먹을 수 있는 식량이에요!

그래서 아까
줄기째로
다 먹었고

줄기 대롱
안에는

투베로숨의 독기를
중화해주는 액이
들어 있거든요.

그 덕에
탈이 나지
않은 거죠.

사실, 이건 지금으로부터
약 1, 2년 뒤에나
밝혀질 일이었다.

아이러니하게도
스스로 목숨을
끊기 위해

투베로숨을
통째로 먹어 버린
사람이

멀쩡하게 살아서
알려줬다나.

줄기가 해독제라구요?

그런 말은 처음 들었어.

……

쉽게 손이 안 가는걸…

나도 먹기가 좀…

그렇단 말이지.

도… 도련님?

우물

우물

거래 협상만 잘하면,
미래 사업 지금까지
얻을 수 있을지도!

우히힛~

아가씨!
어떻게 이런
획기적인 발견을
하셨나요?!

우리
아가씨 완전
복덩이에요~!

천재세요!
천재!

이 문제가
벌써 이렇게
해결되면…

…안 돼.

'그곳'에는 어떻게 보고해야 하지…

까악

까아악

하아…
배고프다….

보급은
도대체 언제
오는 거지.

이러다
까마귀 밥이
되겠어….

식량도
다 떨어지고….
어지러워….

다그닥

어?!

배급이다!

다그닥

다그닥

공작님 여기 아가씨께서 보내신 서신입니다.

드디어···!

······ 편지를···?

기체후 일향 만강하신지요?

다름이 아니오라, 좋은 말씀이 있어 전해드리고자···

···어디서 이런 표현들을 배운 거지?

이건···

독초 아냐?

수레가 잘못 온 건 아닐까요?

제대로 온 게 맞아.

여기 아가씨가 보내신 설명서에 섭취 방법이 쓰여 있어.

으윽... 아가씨는 어린아이 아니신가요...?

8살 정도 되신...

아무리 먹을 게 없어도 그렇지...

난 설사병으로 죽고 싶진 않은데...!

사인이 설사병이라니!

8살밖에 안 되신 공녀님의 말만 믿고 이걸 먹는 건 좀...

저것이...

아가가 보낸 거라고.

공작님-?!

헉! 저걸
드셨어...!

세상에...

~감동 2탄~

우리 같은
놈들의 불안을
없애 주시려고...!

187

뭘 좀 먹으니 살 것 같네요. 정말 이번 보급이 없었으면 큰일 날 뻔했어요.

그렇지…. 가뜩이나 승전이 코앞인데 말이야.

이 기책을 마련할 수 있었던 게 우리 아가씨 덕분이랬죠?

고작 8살 나이에 이런 걸 발견해 내시다니…

북부에 드문 인재가 되실 거야.

여긴 다 뒤까지 골목인 녀석들 투성이잖아.

와, 자기는 아닌 척!

부디 이 서신이

왕국 수호의 대임을 맡고 계신 각하께

작은 손길이나마 도움이 되길 바랄 뿐입니다.

보증하십시오.

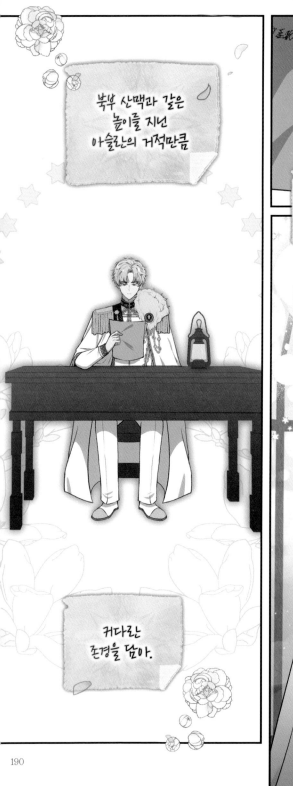

북부 산맥과 같은
높이를 지닌
아슬란의 거적만큼

커다란
존경을 담아.

만지작

베아티
올림.

…아가.

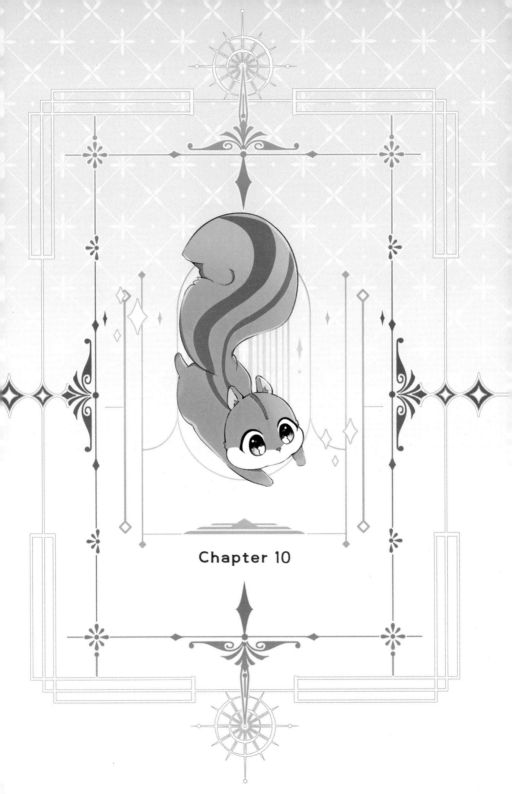

Chapter 10

시간을
조금 돌려

공작의 손에
들려 있던 편지가
작성되고 있던 무렵.

끄으으응…

어디 보자….

'존경은 뭐든
크고 높아 보이는
것에 빗대라.'

…라고?

흐음…

높은 거라…

북부 산맥이 제일 높은 거지?

거적? 좋은 거니 가문 이름 옆에 붙이고…

슥슥슥

슥슥

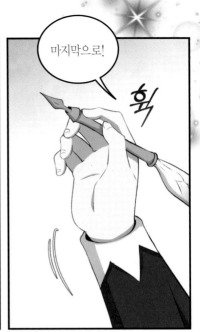

마지막으로!

휙

존경을 담아 베아티 올림!

다 됐다!

고생하셨어요, 아가씨.

후후후… 어른스러워 보이는 말들은 다 집어넣으셨네.

짝 짝 짝

고마워요! 요한나.

쭈우욱

응?

벌써 시간이…

뉘엿

뉘엿

다른 분들은 투베로숨 채집 작업을 하러 나가셨다고 했죠?

예. 아마 대강이나마 담당 구획을 정했으니까요.

…믿기지 않아.

꼼지락

꼼지락

내가 제시한 해결 방안을 받아들여서

많은 사람들이 내 방안에 따라 움직이다니.

내가
도움이 됐어!

내가
해낸 거라고!

저도 가서
거들게요!

예?

꾸욱

저도 힘을
보태고 싶어—

어딜.

195

오라버니…?

찌잉~

꼬맹이는 이제 잘 시간이야.

…이름을 알려줬는데

왜 자꾸 꼬리털이나 꼬맹이로 부르는 거지?

못마땅

아! 그러고 보니 아가씨…!

아까 집중하시는 듯하여 전달을 미뤘습니다만,

아가씨 방 정돈을 마쳤다고 합니다.

제 방이요…?

아버지는 날 싫어하시니

분명 북부에 도착하면…

196

이렇게나

이렇게

에잇! 다람쥐 때문에 부정 탄다!

어서 소금 뿌려!

쮸읏-!

반쪽짜리가 북부까진 왜…

수도에나 계속 있지.

쭈굴…

당연히 문전박대당할 줄 알았는데 방을 내어주다니….

뭔가 이상해….

예상하지 못한 것투성이야.

??

??

수도에서 이모가 그랬던 것처럼 날 가두지만 않으면 좁고 더러워도 잘 지낼 수 있는데…!

피식

진짜 재밌는 녀석이란 말이야.

도대체 표정이 몇 개야ㅋㅋ

오!

내가
데려다 주지.

그렇게
해 주시겠어요,
도련님?

두분 우애
좋으신 모습이 참
보기 좋네요.

노호

우애…?

끼익

가자,
꼬리털.

빨리 와.

앗!

네!

도도도

자꾸 날 이상한 별명으로 부르면서도

내가 올 때까지 문을 잡아줬어.

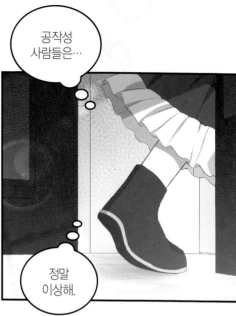

공작성 사람들은…

정말 이상해.

허억…

헉…

허억…

너…

정말
약하구나.

허억

헉

헉

아니면
다리가 짧아서
그런가?

자기 다리가
긴 거면서!

자기 키는
생각 안 하고!

내 신장은
평균인걸!

다람쥐랑
사자를 비교하는 게
말이 되냐고!

진짜…
재밌는 녀석.

꾸깃!

자,
꼬리털,

여기가

스… 윽

네 방이야.

와 이곳이 바로

내가 지낼 곳…?!

근데 복도…?!

복도에서 자라는 건가?

쿠궁

혹시 이건 여기에 네가 머물 방 따윈 없다는 고도의 돌려 말하기?!

그리고 마지막

침실까지.

헤롱 헤롱

방을 열 개는 넘게 본 것 같은데…?

으음…

이 모든 방을 내어 주겠단 건 아닐 테고….

그렇다면….

지금 이건
시험일지도 몰라.

왜 비슷한
동화도 있잖아.

정령의 집을
방문했을 때

가장 허름한
자리를 택한
'겸손한 나그네'는

정령의
선물을 받고

대뜸 정령이 앉는
상석을 고른
'교만한 나그네'는

분수를 모른다고
혼쭐난 뒤 쫓겨났지…

내가 오늘 공작가에 도움이 됐지만,

내 공에 취해 분수를 모르고 과한 것을 탐한다면

'교만한 나그네' 처럼 쫓겨날지 몰라.

저… 오라버니!

응?

저는 이런 호화로운 방은 안 주셔도 돼요.

별로 잘 쓰지 않는, 없어도 모를 방을 주시면 쭉 조용히…

무슨 소리를 하는 거야?

내 설명이 헷갈렸어?

어… 그게……

시험이 아니었나?

자, 봐 봐.
저기 복도
제일 끝에 있는
조각상 보여?

지긋

네? 네.
너무 멀어서
겨우 보여.

저기
옆문부터
여기까지가
네 방.

숙

?!!

저기… 이건
방이 아니라 하나의
층인데요…!

???

이슬란가(家)는
손님방을 층으로
내어 준단 말이야?

이게
바로 공작님가의
재력과 배포?!

한 층…

여기 전체를
내가 다….

덜 덜

자.

그럼 들어가 볼까?

으으

이런 다정한 스킨십은 정말 익숙해지지가 않아.

간질거리고 어색해…!

간질

간질

!!!

또, 또 안았어!

오라버니… 나, 무거운데요.

뭐? 이게?

지금보다 열 배는 더 무거워야 해.

…??

돼람쥐가 되라는 건가…?

포 동

오늘은
바빴으니까

달칵

침실로
들어가자.

우와…!

전에 지냈던
방과는

비교도 안 되게
화려해…!

반짝

반짝

어마어마한
가구와 보석들…

저기
봐 봐.

거기에

아름다운
풍경까지.

만약 내가

수도에서 도망치지
않았더라면

용기 내어
이곳까지 오지
않았더라면

이번 생에도
이런 풍경은

모르고
살아갔겠지.

예쁘지?

네…!
엄청요.

…결심했어.

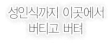

성인식까지 이곳에서
버티고 버텨

꼭 세계 이곳저곳을
내 두 눈에 담을 거야.

무슨 일이 있어도

이번 생에는 꼭.

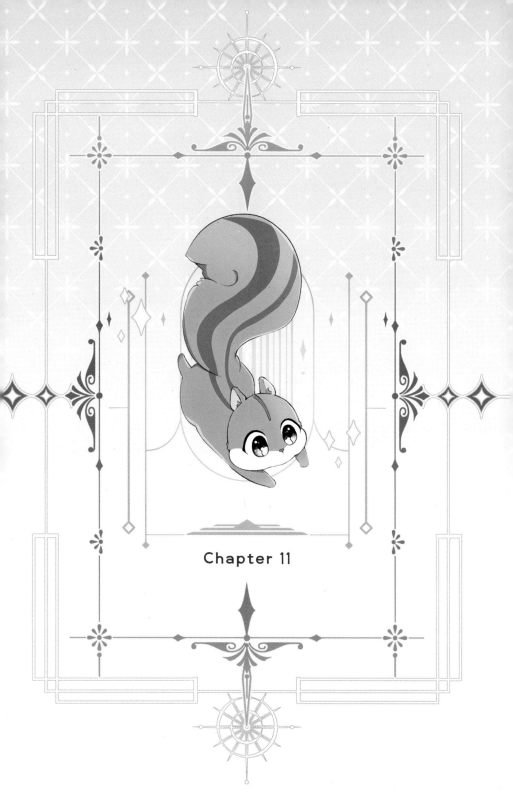

Chapter 11

......?

그럼

포 ― 옥

불편한 거
있으면
말하고.

...저.

잘 자,
꼬리털.

응?

아직 해가
떠 있는데 벌써
자나요? 북부 사람들은
일찍 자나?

뭐지.
저 뿌듯해하는
표정은…?

정말…

오라버니는
이해할 수 없는
사람이야….

아가씨,
요한나예요.

취침 준비를
도와드리겠습니다.

…어머나?

두 분 사이좋게 놀고 계셨군요!

어. 내가 잘 놀아 줬어.

어쩜 동생을 이리 잘 챙기시고. 우리 도련님도 다 크셨네요.

난 원래 컸어.

놀아 줬다고…? 날 가지고 논 게 아니라?!

정말… 안 갖고 놀 거야?

으윽…

그 반짝반짝 눈빛 공격 때문에 다람쥐 모습으로 변하자마자….

아슬란가는 손님에게 이런 고급 잠옷도 내주는구나.

공작가의 배포는 항상 내 상상 이상이야…

벌컥

응?

왔어? 꼬리털.

오라버니가 왜 아직 여기 있지?

슬슬 졸린데…

저…

카를리투스 엘 아슬란 오라버니…?

…뭐?

네가 무슨 문장관도 아니고 뭐 그리 이상하게 불러?

그럼 뭐라고…?

그냥 이름 불러.

그럼…

카를리투스 오라버니는 아직 안 주무세요?

자야지.

근데 왜
카를리투쯔.

읏!

으잇,
아직 어린 몸이라
혀가 꼬였어…!

픕.

그냥 편하게
카를이라고
불러.

그 짧은 혀로는
발음하기
힘들 테니까.

……카를.

?!

푸읏ㅎ

오라버니는
붙여야지.

쭈욱

아얏!

221

그래,
베아티.

내일 보자.

쓰담

뭐야…,
꼬맹이랬다가,
꼬리털이랬다가.

갑자기
이름 부르고…

응

자기
멋대로야!

음…
이런 건
처음인데….

누군가 옆에서
재워준다는 건….

엄청 포근한
느낌이구나….

제길-!!!

어떻게 준비해 놓은 계획인데…!

그 쥐콩만 한 공녀가 일을 다 망쳐 버렸어!

그것만 아니었어도…!

젠장!!!

……뭐야.

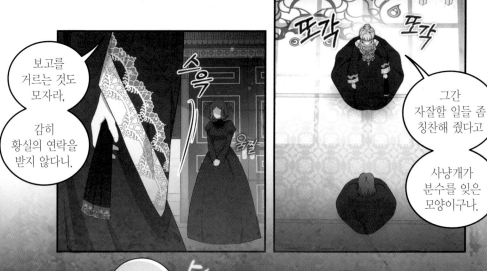

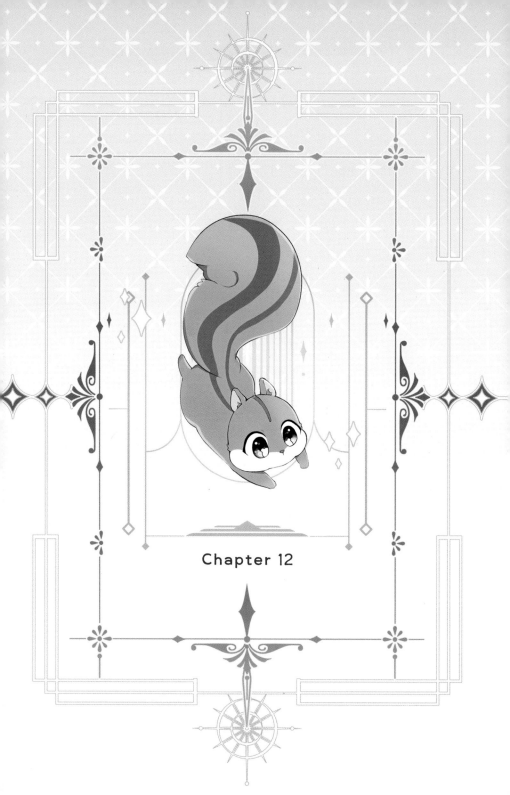

Chapter 12

꺄아아~!

너무 귀여워!

어쩜 이렇게 다 잘 어울리셔요!

꺄아아악♥

귀여워어어…!

상상한 것보다 더 귀여워!

끄덕 끄덕

내가 귀엽다고…?

이 사람들… 귀엽다는 게 뭔지 모르는 건가?

그간 수도에서 들어왔던 '귀엽다'는 말은 주로

으흐흐···
오 귀여운 것들···

수도 저택의 집사가 상자 속 금화를 세거나

하녀들이 보석을 자기 주머니 속으로 집어넣으면서 하던,

어머~
이거 귀엽네~

자기 손에 들어온 값진 무언가를 가리킬 때 쓰는 말이었는데···

나보고 귀엽다고 한다.
↓
내가 그 사람 손에 들어갔다.

난 누군가의 '소유물'이다.

쿠 궁

칭찬… 받았다…?

아주 뻥―! 놀려보내세요!

똑똑한 우리 아가씨!

얼떨떨

그럼 이제 식당으로 모시겠습니다.

네… 드디어 끝났다…

저… 베아티 아가씨!

정신없어서 그날 바로 말씀드리지 못했는데…

정말 감사했어요!

네?

제 애인이 병사로 전쟁에 나가 있어서

어제 창고에 불난 거 보고 많이 걱정했는데…

아가씨가 문제를 해결해 주셨잖아요!

덕분에 걱정 없이 그이를 기다릴 수 있게 되었어요.

정말 감사해요, 아가씨.

지금 나한테…

몽글

몽글

고마워 한 거야?

공작성은 수도와 다르게 정말 이상한 곳이야.

따스한 환대

크고 아름다운 방

친절한 사람들

꼭 동화 속 구름 성 같아.

이 따뜻함이 구름 성처럼 훅하고 사라지진 않았으면 좋겠는데….

잘 잤어,
꼬맹이?

카를
오라버니…?!

잠깐…
오라버니도 지금
아침을 드시는
건가?

근데
음식 양이…

오라버니는 속은 알 수 없지만
잘 보이고 싶은 사람인데

내가 같이 먹으면
기분이 상하게 될 거야.

난…

입맛 떨어지게 어딜 돌아다녀!

입맛이 떨어지게 하는 존재니까…

어차피 밥은 매번 혼자 먹었으니 괜찮아.

오라버니 기분을 해치지 않는다면 그걸로 충분해…

전 식사 마치실 때까지 올라가 있을게요.

어디 가?

멈칫

뭐 두고 왔어?

네? 아뇨.

그럼… 그냥 나랑 먹기 싫은 건가?

네?!

아니에요!

그게 아니라면 거기 앉아.

…같이 먹어도 돼요…?

239

당연하지.

얼른 안 앉아?

네, 앉을게요!

지금 앉아요!

쩌릿—

드륵

입맛엔 맞아?

네, 엄청 맛있어요!

누군가와 이렇게 이야기를 나누며 먹으니…

만숭이 먹어둬, 10배는 더 쪄야 한다고 했지?

읏…

혼자 먹던 때와는 다르게

식사에서 따듯한 온기가 느껴져.

계속 신경 쓰여서 생각해 봤는데…

아무리 생각해도 여기 사람들이 나한테 친절한 이유는…

뚜벅

뚜벅

아버지가 아직 내 이야길 안 해서 그런 거 같아.

전쟁 때문에 아버지가 공작성을 5년이나 비우셨으니

이곳 사람들은 내가 아버지한테 미움받은 사실을 모르는 거야.

아버지는…

반쪽짜리인 나를 오점이라 생각해서 말조차 꺼내지 않으셨을지도….

…그렇다는 건,

아버지가 돌아오면

다정했던 공작성 사람들도 수도 사람들처럼 변한단 거겠지.

감사합니다,
아가씨!

쮸쯧!

나에게 베풀어준
따스함엔

꼭
보답하고 싶어.

뒤뚱

그게
다 뭐야?

뒤뚱

쮸우우읏!

좌르르

모험
보따리는
아닐 테고

열매 장사를
하는 것도
아닐 거고…

나한테 주는 선물이야?

끄덕

끄덕

쮸잇!

날 주려고 이렇게나…?

수북

피식

잘 받을게, 꼬리털.

쓰담

쓰담

고마웠어요.

공작성 사람들.

은혜 갚기는 대성공이었어!

가보로 전하겠습니다!

답례 기대해

다들 생각보다 더 좋아해 줘서 뿌듯한걸~

수도에서 식사가 제때 나오지 않을 때

몰래 열매 찾아 먹던 게 이렇게 쓰이네.

그때 나무 열매 보는 눈도 생겼다구!

좋아, 여기저기 더 나눠줘야지!

어디 보자, 이 나무 열매는….

스윽

싱눔에서

우우웅~

알 수 없는
고동이 느껴져…!

이건…

…가

…날 부르고
있어.

터벅

터벅

가야만 해….

아가씨!!!

누군가가
날 강하게
부르는 느낌이
들었는데…?

갑자기 밖이
많이 소란스러워
졌어요!

어서 안으로
들어가세요!

어서
여길…!

멈칫

……?!

방금
뭐였지?

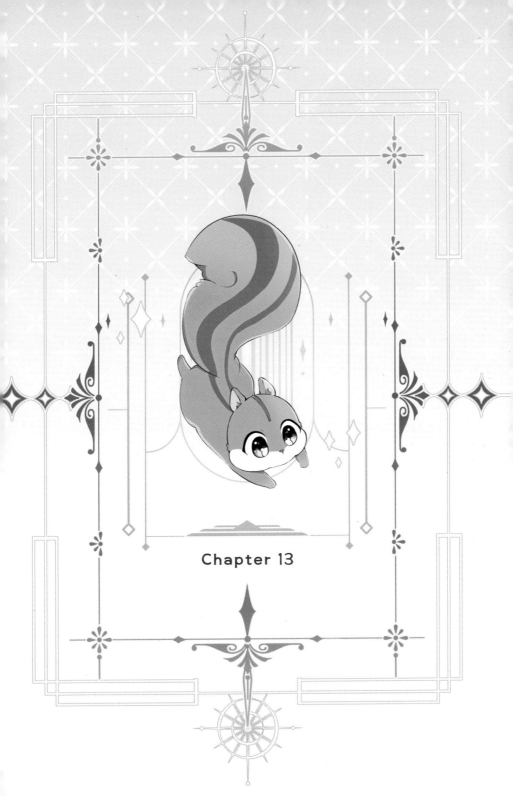

Chapter 13

아슬란 영지의
북부 산맥

저벅

저벅

쓱탁

후우….

이런 조무래기
녀석들 말고

삭풍 수정 여우는
어디에 있는 거지.

분명 서식지는
이 근처인데…

답례를 주겠다고
이미 큰소리도 뻥뻥
쳐놓은 데다가

답례 기대해!
어마어마한 걸로
가져오지.

여우 털을 두른
꼬리털의 모습도
보고 싶어.

멈칫

아.　　순간
잊을 뻔했네.

분명
잘 어울리겠지.

속

이젠…
피 같은 거
묻지 않게 조심해야
하는데.

소곤

다음부턴 이런 모습 보이시면 안 됩니다.

아가씨가 놀라 몸이라도 상하시면 어떡해요.

소곤

물론이죠!

몸이 약한 사람은 깜짝 놀라기만 해도 아플 수 있습니다.

몸이? 고작 이런 걸로?

주의하고 또 주의해 주세요!

그런 걸로도 몸에 무리가 갈 수 있다니…

그러니 이번엔…

스윽

꼬리털이 놀라는 일 없게

꼬리털이 이걸 보고 어떤 반응을 보일지 궁금한걸.

후후

분명 엄청…

뭐?!

정원 쪽으로 갔다고?

응, 근데 너무 빨라서 뭔지 제대로 보지도 못했어.

도대체 뭐람? 그것 때문에 경비원들도 난리던데.

…정원?

그게…

군에 보낼 보급물자 작업에 인원을 최대한 동원하느라 평소보다 경비가 헐거워진 틈을 타서 마수가 침입했습니다.

마수가?

예. 설풍 다람쥐라고….

평소 자기 영역에서 벗어나지 않는 녀석인데

이번엔 어째서인지 여기로 뛰어들더니 아가씨를 데려갔습니다.

죄송합니다. 저희 불찰입니다…!

수근

설풍 다람쥐라면 분명….

수근

최근 북부 산맥에서 밀수꾼 집단을 '몰살'했다는 그 악명 높은 마수…?

몰살?!

분명 조금 전까지 정원에 있었는데…

여긴…

흐음

북부 산맥쯤 되려나?

어떻게 여기까지 온 거람?

안녕

드디어 만나게 됐구나.

어…?

아까랑 같은 느낌…!

어디에서 부르는 거지?

두리번

두리번

이쪽이야.

네가
알아듣기 쉽게
말하자면

휘릭

파

앙

?!

나는 별,

별
그 자체이자 별을
다스리는 자

너희들이
다람쥐 자리의
성좌라고 부르는
존재지.

그리고 또 하나,

널 여기로 돌려보낸 게 나란다.

네?!

절 여기로 돌려보냈다니요?

설마… 죽어가던 나를

갑자기 10년 전으로 보낸 게 바로…

성좌님이란 말인가요?!

그래.

흐음··· 그나마 튼튼한 몸을 고르긴 했지만 시간이 많지 않아.

내가 잠깐이라도 강림할 수 있는 몸을 찾기 쉽지 않으니

토옥

강림이 풀린 뒤에도 이 마수를 잘 데리고 있으렴.

이제

제일 중요한 걸 알려 주마.

고동이… 완전히 사라졌어….

이게…

이게 뭐야아~!

이유는 말해주고 가야죠~!!!

으아앙

에휴…

제일 중요한 건 듣지도 못하고….

토닥

토닥

도대체 왜 날 여기에….

바스락

바스락

바스락

어…?
이 발소리는 설마…
산 짐승?

큰일이야.

북부 산맥은
커다란 맹수가
나오기로 유명한
곳인데…!

휘익

휙

어서 빨리
안전한 곳을
찾아야 해!

…너는

바스락

사람?!

어딘가 익숙한
목소리인데…

공작가에서
나를 찾으러 온
사람인가?

휙

스윽

…어? 잠깐.

…이 사람은

누구지?

Chapter 14

어, 엄청…

수상해
보여…!

검은 로브를 칭칭
감싸고 잇고!

우중충

…저,
누구세요?

……난.

그냥 너도 나처럼 조난당한 건가 걱정돼서…!

~무해한 포즈~

푸… 푸흡.

아무튼 난 길을 찾아야 해서…

휙

푸흐읍…

음?!

큼큼.

???

갑자기 왜 웃지?

수상한데다 이상하기까지 한 애네….

톡

응?

싸아아

으잇!
갑자기
비가…!

허둥

지둥

…여기.

이쪽으로 와.

…뭐?

나한텐 친구 같은 존재야!

그러니 해치지 말아줘.

얘가 있어야 성좌님을 다시 볼 수 있단 말이야…!

흥!

응? 부탁이야.

울망~

반짝

반짝

……알았어.

사람한테 조금의 살기라도 보이면,

그때 처리해도 되겠지.

휴~

에엣쵸!

엣츄!!

헤엣-츄!!

에쵸-!

깜짝

?!

평소에 추위는
잘 안 타는데….
어린 몸이라
그런가.

끙

쿨쩍

점점
추워지는 거 같기도‥

흠…
어쩔 수 없지.

자.

속

하지만
레이디도 만만찮게
수상한데?

나?

내가 왜?

그야···

여기랑은
어울리지 않는
드레스를
입고 있고

마수를 데리고
있으니까?

레이디?

추적

추적

끼익

저…
실례합니다~!

아무도
안 계신가요…?

음…

아마도 여긴 사냥꾼이나 조난자를 위해 지어진 곳 같아.

터벅

터벅

자, 레이디는 여기 앉아.

아…! 응.

숙

고마워, 잘 썼어.

로브 덕분에 난 비를 거의 맞지 않았는데

이 아이는…

나 때문에 홀딱 젖었어.

저기…!

그거 벗는 게 좋지 않을까?

투둑

툭

후드 때문에 옷이 더 젖겠어.

음… 혹시 얼굴을 계속 가려야 하는 사정이 있는 거라면

절대 네 쪽은 안 보고 돌아서 있을게.

휙

그러니 빨리~! 감기 걸리겠어!

…뭐, 괜찮겠지…?

훅

레이디.

그렇게 돌아설 필요 없어.

어?

질끈

봐도 된다는 말이야. 레이디.

…봐도
괜찮은 거야?

얼굴을 보여주면
안 되는 게
아니었나?

응.

스윽

…어?
저건…

안대…?

〈아기 다람쥐가 다 잘해요〉 1권 마침

아기다람쥐가 다 잘해요 ❶

2024년 6월 21일 1판 1쇄 발행
2024년 6월 28일 1판 1쇄 발행

각색 혹등고래 | **작화** 한소영 | **원작** 군청주단

발행인 황민호
콘텐츠4사업본부장 박정훈
책임편집 이예린 | **편집기획** 강경양
디자인 All design group 중앙아트그라픽스
마케팅 조안나 이유진 이나경 | **국제판권** 이주은 한진아 | **제작** 최택순 성시원 진용범
발행처 대원씨아이(주) | **주소** 서울특별시 용산구 한강로 3가 40-456
전화 (02)2071-2017 | **팩스** (02)749-2105 | **등록** 제3-563호 | **등록일자** 1992년 5월 11일
www.dwci.co.kr

ISBN 979-11-7203-425-2 (07810)
ISBN 979-11-7203-424-5 (세트)